Fefi

Un cuento de Beverley Allinson
Ilustrado por Barbara Reid

Scholastic Inc.
New York Toronto London Auckland Sydney

Text copyright © 1990 by Beverley Allinson.
Illustrations copyright © 1990 by Barbara Reid.
Spanish translation copyright © 1995 by Scholastic Inc.
All rights reserved. Published by Scholastic Inc., 555 Broadway,
New York, NY 10012, by arrangement with Scholastic Canada, Ltd.
Designed by Many Pens Design Ltd.
Photography by Ian Crysler.
Printed in the U.S.A.
ISBN 0-590-40001-0

3 4 5 6 7 8 9 10   08   01 00 99 98 97

Fefi pertenecía a una larga línea familiar de hormigas.

4

Era una hormiga como las demás. Era igual en todo menos en una cosa.

Las demás tenían vocecitas de hormiga.

En cambio, la voz de Fefi era como un trueno.

Cada vez que hablaba, las otras hormigas
salían corriendo del hormiguero para escapar del ruido.

Un día, Fefi salió en busca de alguien que la escuchara.
Al poco tiempo apareció una oruga ondulante.

—¡QUÉ HERMOSO DÍA!, ¿NO? —dijo Fefi.

Pero se quedó hablando sola.
La oruga casi se desarma en su
apuro por huir.

A los pocos minutos, una mariposa se posó junto a Fefí.

—¡HOLA! —tronó Fefí.

Pero la ráfaga de su vozarrón se llevó a la mariposa y Fefi se quedó nuevamente sola. Decepcionada, pero aún con esperanzas, Fefi trepó a un tallo para ver si descubría algo nuevo.

—¿DÓNDE HABRÁ ALGUIEN CON QUIEN PUEDA HABLAR? —se preguntó.

Cuando su voz sacudió
una telaraña, la araña salió
a ver lo que había atrapado.

—¡HOLA! ¿QUÉ TAL? ¿QUIÉN ERES? —saludó Fefi.

Durante mucho tiempo, Fefi
buscó y buscó sin encontrar
a nadie. De vez en cuando se
paraba a descansar.

Pero la telaraña se rompió y,
sin decir ni una palabra, la araña
se escapó saltando en paracaídas.

Con gran sorpresa
vio que empezaban a salirle
patas a la piedra sobre la
que estaba parada.
—¿QUIÉN ANDA POR AHÍ?
— preguntó Fefi —. ¿TIENES UN
RATITO PARA CHARLAR?

Pero el escarabajo se cayó de
espaldas del susto y empezó
a girar en círculos. Luego se levantó
de un salto y huyó a toda prisa.

Al encontrarse con un saltamontes, Fefi apenas dijo: —¡EH!

Y aun así el saltamontes tampoco se quedó.

—¿PERO ES QUE NADIE ME QUIERE ESCUCHAR?
—gritó Fefi hacia las copas de los árboles.

Justo en ese instante el saltamontes volvió cojeando.

—¿CAMBIASTE DE OPINIÓN?
—dijo Fefi esperanzada.
Pero el saltamontes sacudió la cabeza
y desapareció dando saltos.

Entonces pasó corriendo el escarabajo.

—¡VOLVISTE! ¡BIENVENIDO!
—dijo Fefi con los brazos abiertos.
Pero el escarabajo pasó corriendo sin decir nada.

La siguiente en pasar fue la araña
y Fefi le preguntó:
—¿VIENES A HABLAR CONMIGO?
—¿En un momento como éste? —respondió la
araña con voz entrecortada mientras se alejaba
saltando a toda velocidad.

En eso, la mariposa pasó aleteando velozmente.

La oruga se acercó a Fefi ondulando con rapidez.

—¡Corre! ¡Sálvate! —le dijo jadeando.

Fefí empezó a correr detrás de ellos. Corrió hasta alcanzar

a los cientos de hormigas que habían huido de ella esa mañana.

Las encontró amontonadas junto al hormiguero,
mirando al cielo aterrorizadas.
Fefi sintió que el suelo temblaba y vio que
una gran sombra se extendía sobre ellas.
Miró hacia arriba.

Una enorme pata estaba a punto de aplastarlas a todas.

Fefi respiró hondo.

—¡ALTO! —rugió Fefí—.
¡NO SE MUEVA!

—*¿Dónde?* —dijo un elefante,
mirando sorprendido a su alrededor.

—¡**AQUÍ**! —bramó Fefí
—¡**CUIDADO DÓNDE PISA!**
—¡**CUIDADO DÓNDE PISA!** —repitieron a coro las otras hormigas.

—¡*Uyuyuy!* —dijo el elefante al descubrirlas.

—Lo siento —agregó, y se hizo a un lado con agilidad.
Fefi dio un grito de alegría y las hormigas aplaudieron
al ver que la pata y la trompa del elefante
se alejaban sin tocarlas.

—¿Quién gritó? —preguntó el elefante.

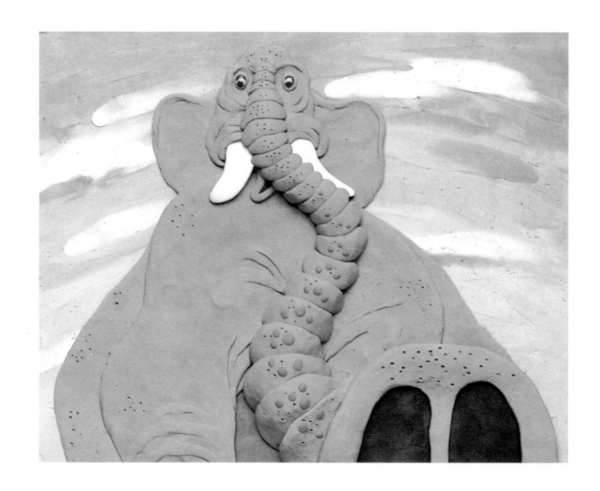

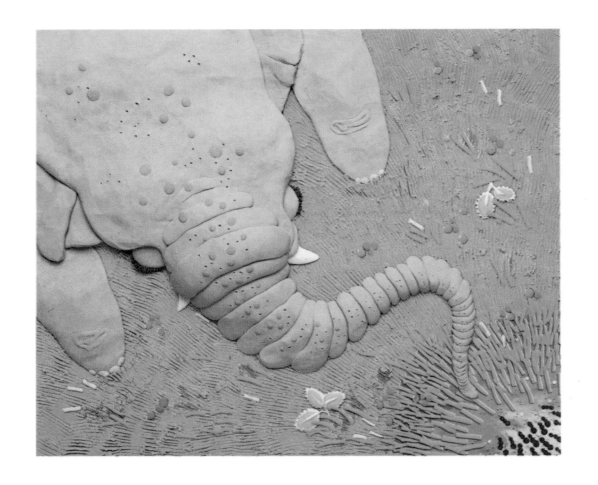

Fefi sacudió una antena para presentarse
y el elefante bajó la trompa hasta el suelo para saludarla.

Fefi subió por la trompa como si fuera una escalera,
hasta que pudieron mirarse a los ojos.

—**¿TIENES TIEMPO PARA CHARLAR UN POCO?** —le preguntó.

Fefi y el elefante descubrieron que se llevaban
estupendamente bien.

Y pasaron el resto del día conversando.

Y durante días, semanas y meses, se reunieron
a hablar de cosas grandes y pequeñas.

Al poco tiempo, era común ver grupos de elefantes
paseando con cuidado por el pasto,
mirando atentos dónde pisaban
y hablando con sus nuevas amigas.